MYSTÈRES! MYSTÈRES! MYSTÈRES!

Lieux mystérieux

Katie Dicker

SAUNDERS
BOOK COMPANY

Publié par Saunders Book Company,
27 Stewart Road, Collingwood, ON Canada L9Y 4M7

Un livre de Appleseed Editions

Imprimé aux États-Unis
par Corporate Graphics à North Mankato, Minnesota

Conçu par Hel James
Édité par Mary-Jane Wilkins
Traduit de l'anglais par Anne-Sophie Seidler

Catalogage avant publication de Bibliothèque et Archives Canada

 Dicker, Katie
[Mysterious places. Français]
      Lieux mystérieux / Katie Dicker.
 (Mystères!)
Traduction de : Mysterious places.
Comprend un index.
ISBN 978-1-77092-306-5 (relié)
      1. Civilisation ancienne--Ouvrages pour la jeunesse. 2. Curiosités
et merveilles--Ouvrages pour la jeunesse. I. Titre. II. Titre: Mysterious
places. Français.
 CC171.D5314 2015   j930.1   C2015-902500-1

Crédits photos
page-titre Brandelet/Shutterstock; pages 2-3 Gelia/Thinkstock;
5 Zoran Karapancev/Shutterstock; 6-7 Linda Bucklin/Thinkstock;
8 WitR; 9 Santia, b somchaij; 10-11 kritskaya; 12 Viktorus;
13 chasethestorm.com; 14-15b Justin Black; 15 Kiev.Victor/tous
Shutterstock; 16-17 Roman Sigaev/Thinkstock; 20 Zack Frank/
Shutterstock; 21 NodalPoint/Thinkstock; 22 imageZebra;
24 Brandelet/les deux : Shutterstock
Couverture longtaildog/Shutterstock

Artwork Q2A Media Art Bank

DAD0054z
032015
9 8 7 6 5 4 3 2 1

Table des matières

Un monde de mystères

La Terre est remplie de lieux mystérieux. Des groupes de personnes ou des villes entières ont disparu. Dans certains lieux, il y a des mystères qui n'ont toujours pas été **élucidés**...

Pouvoirs spéciaux

De nombreux **sites sacrés** en Europe sont situés sur la trajectoire de lignes droites qui se croisent. On les appelle les lignes Ley. Certains pensent que ces lignes, dites énergétiques, ont des pouvoirs spéciaux. Peut-être que des personnes les utilisaient autrefois pour envoyer une énergie mystérieuse.

Les lignes Ley relient de nombreux sites sacrés en Grande-Bretagne.

4

Voyage dans le temps

En 1901, deux enseignantes de l'Université d'Oxford, en Grande-Bretagne, visitaient le château de Versailles, près de Paris, en France. Durant leur visite, elles se perdirent. En essayant de retrouver leur chemin, elles furent témoins de scènes semblant dater de 1789, l'année de la **Révolution française**. Elles virent la reine Marie-Antoinette et traversèrent un pont qui n'existait qu'en ce temps-là. Est-il possible que ces femmes aient remonté le temps pendant ce voyage?

Le fantôme de Marie-Antoinette hante-t-il toujours le château de Versailles?

Cités englouties

À travers le monde, il existe des villes cachées au fond de la mer. Certaines de ces cités sont si profondes, que seuls des plongeurs peuvent les voir. Certaines autres sont visibles à **marée** basse.

De l'eau qui monte

Les premières cités englouties découvertes furent bâties il y a environ 5000 ans, mais certaines ruines trouvées sous la mer sont plus anciennes encore. Comment ont-elles été englouties? Certaines personnes pensent qu'il y a 10 000 ans, la dernière **période glaciaire** fit monter les océans, recouvrant ainsi ces cités.

Cité pleine de secrets

Il y a environ 2000 ans existait une cité animée sur l'île de Pohnpei, dans l'océan Pacifique, du nom de Nan Madol. Aujourd'hui, cette ville se trouve au fond de l'océan. Des plongeurs ont découvert de longues pierres et des squelettes humains de plus de deux mètres! Personne ne sait comment ces hommes réussirent à déplacer des pierres si lourdes ni ce qui arriva à cette cité.

Mystère, mystère!

Il y a environ 2500 ans, un écrivain grec du nom de Platon écrivit l'histoire de la cité engloutie de l'Atlantide. Il raconta que la cité avait brûlé et que les ruines étaient englouties sous l'océan. De nombreuses personnes ont cherché l'Atlantide, mais aucune n'a retrouvé sa trace.

Secrets du désert

Il y a plus de 7000 ans, les anciens Égyptiens construisirent des pyramides comme tombes pour leurs **pharaons**. Leur emplacement semble être aligné avec les étoiles. Ces constructions de pierre géantes renferment des secrets encore non dévoilés.

Une étrange découverte

Les pyramides d'Égypte sont situées à proximité d'un fleuve appelé le Nil. En 1983, le chercheur Robert Bauval nota que les pyramides étaient placées comme la **constellation** d'étoiles d'Orion. Deux pyramides manquent pour que la constellation soit complète. Sont-elles enterrées dans le sable du désert?

Les pyramides égyptiennes sont placées comme les étoiles qui forment la constellation d'Orion.

Reflet des étoiles

Certains autres monuments antiques sont également alignés sur les étoiles. La position du temple d'Angkor Thom au Cambodge correspond à la position des étoiles de la constellation du Dragon. Des scientifiques pensent que les personnes de l'époque reproduisirent les constellations d'étoiles pour garantir l'harmonie entre la Terre et le ciel.

La position du temple d'Angkor Thom correspond à l'alignement d'une constellation d'étoiles.

Le mystère des pyramides

Certaines pyramides d'Égypte renferment de mystérieux secrets. Dans la pyramide de Khéops se trouve un **sarcophage** vide. Personne ne sait ce qui est arrivé au corps du pharaon Khéops. La pyramide compte quatre étranges tunnels. L'un d'eux n'est large que de 20 cm et l'accès en est bloqué par un bloc de pierre. Nul ne sait quel secret il renferme...

Mystère, mystère!

Certaines personnes pensent que les pharaons ont jeté une malédiction sur leur tombe. En 1923, les explorateurs Lord Carnarvon et Howard Carter découvrirent la tombe de Toutânkhamon. Les années suivantes, nombre de personnes qui avaient participé aux **fouilles** moururent de maladie ou d'un accident. Était-ce une malédiction?

Le secret de la chambre funéraire

À côté des pyramides, les Égyptiens découvrirent également un sphinx en pierre. C'est une statue avec un corps de lion et une tête d'humain. En 1997, des scientifiques trouvèrent des tunnels et une chambre de cinq mètres sous les pattes du sphinx. Edgar Cayce, un **médium** américain, avait prédit cela plus de 70 ans auparavant.

Constructions géantes

Il y a des milliers d'années, des sites gigantesques furent bâtis. Nul ne sait vraiment comment ils ont pu être construits avec les simples outils de l'époque.

Île du Pacifique

Sur l'île de Pâques, dans l'océan Pacifique, environ 900 géants de pierre dominent l'océan. Les scientifiques pensent que ces statues de dix mètres de haut sont vieilles d'environ 800 ans. Les habitants de l'île se servirent de troncs d'arbres pour déplacer les pierres. Une fois tous les arbres coupés, cela rendit la chasse et l'agriculture difficiles. Ils commencèrent à manquer de nourriture, et finirent par se tuer et se manger entre eux.

Vue du ciel

À Nazca, au Pérou, le désert est décoré d'énormes motifs et dessins d'animaux et d'oiseaux. Les scientifiques pensent que ces formes ont été faites en enlevant des pierres, révélant le sol poussiéreux en dessous. Les dessins ne peuvent être vus que du ciel, mais ont été faits bien avant l'invention des avions! Les habitants de Nazca firent-ils ces dessins pour que leurs dieux puissent les voir du ciel?

Mystère, mystère!

La ville de Puma Punku en Bolivie semble avoir été détruite par un tremblement de terre. Seuls d'énormes blocs de pierre demeurent. Ils proviennent d'une carrière située à seize kilomètres de là. Il y a 2500 ans, il aurait été impossible de les déplacer pour construire une ville. Comment les Anciens de Puma Punku ont-ils bâti leur ville?

Certains pensent que les lignes de Nazca ont été faites avec l'aide d'extraterrestres.

Cercle secret

*Dans le Wiltshire, en Grande-Bretagne, une autre construction gigantesque renferme de nombreux secrets. Stonehenge est un immense cercle de pierres dressées, avec des pierres horizontales posées dessus. Elles ont été placées là il y a plus de 4000 ans. Le cercle mesure environ 30 mètres de diamètre pour environ 5 mètres de hauteur. Des **tertres funéraires** se trouvent à proximité, et des restes de corps **incinérés** ont également été découverts dans les environs. Personne ne sait véritablement à quoi servait Stonehenge. Peut-être que cet endroit servait de lieu de guérison, de lieu d'adoration du Soleil ou bien de lieu pour les **rites** et les **sacrifices** religieux.*

Pourra-t-on un jour percer les secrets de Stonehenge?

Pierres géantes

Certaines pierres de Stonehenge pèsent environ 45 000 kilos. Il aurait été bien difficile de les découper et de les déplacer avec de simples outils. Les scientifiques pensent qu'elles pourraient provenir d'une carrière située à 40 kilomètres de là. Comment les personnes de cette époque ont-elles pu transporter des pierres aussi massives et réaliser une construction aussi impressionnante?

Les pierres géantes font plus de deux fois la taille d'un humain. Comment les personnes, à cette époque ancienne, ont-elles réussi à les déplacer?

Miracles

Parfois, de curieuses choses se produisent que même les scientifiques ne peuvent expliquer. Les personnes croyantes appellent cela des miracles, c'est-à-dire qu'elles croient que ce sont des dieux ou des saints qui ont accompli cet exploit. Nul ne sait vraiment comment un miracle se produit.

L'eau qui guérit

En 1858, Bernadette Soubirous eut une étrange vision à côté de Lourdes, en France. Elle vit une femme mystérieuse qui lui dit de boire l'eau d'une source non loin de là. Après avoir bu à la source, Bernadette fut guérie de son asthme.

Mystère, mystère!

Lorsque Bernadette mourut, son corps ne se **décomposa** pas. Il est conservé dans un cercueil avec un couvercle en verre. Bien qu'elle soit décédée depuis près de 140 ans, son corps est toujours intact. L'Église catholique parle d'un miracle.

L'Église catholique pense qu'elle vit la Vierge Marie, la mère de Jésus. Aujourd'hui, de nombreux malades visitent Lourdes chaque année, dans l'espoir d'être guéris de leur maladie.

Statue vivante

En septembre 1995, des personnes furent témoins d'un miracle dans un temple à New Delhi, en Inde. Une statue de la divinité hindoue Ganesh commença à boire du lait à la cuillère. Bientôt, ce fut comme si toutes les statues de Ganesh à travers tout le nord de l'Inde buvaient également du lait. Les gens se précipitèrent pour aller acheter du lait à offrir eux-mêmes aux statues.

La statue de Ganesh a-t-elle accompli un miracle, ou bien y a-t-il une autre explication?

17

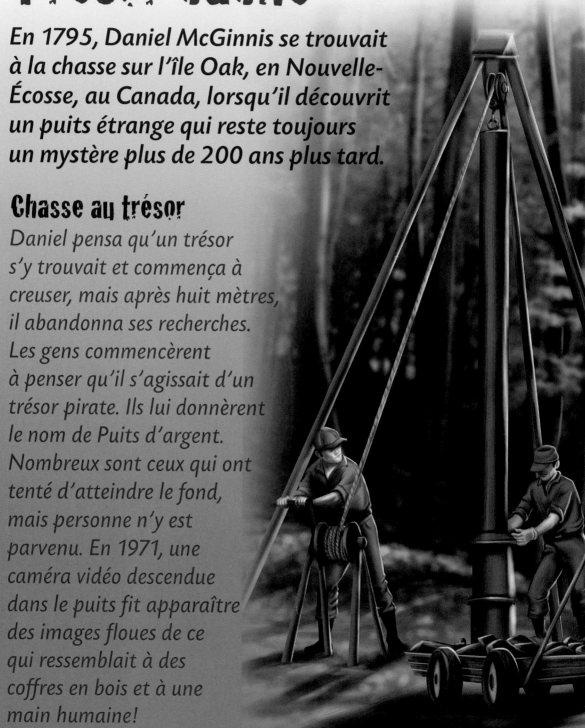

Trésor caché

En 1795, Daniel McGinnis se trouvait à la chasse sur l'île Oak, en Nouvelle-Écosse, au Canada, lorsqu'il découvrit un puits étrange qui reste toujours un mystère plus de 200 ans plus tard.

Chasse au trésor

Daniel pensa qu'un trésor s'y trouvait et commença à creuser, mais après huit mètres, il abandonna ses recherches. Les gens commencèrent à penser qu'il s'agissait d'un trésor pirate. Ils lui donnèrent le nom de Puits d'argent. Nombreux sont ceux qui ont tenté d'atteindre le fond, mais personne n'y est parvenu. En 1971, une caméra vidéo descendue dans le puits fit apparaître des images floues de ce qui ressemblait à des coffres en bois et à une main humaine!

Barrières naturelles

Même avec les moyens modernes de **forage**, il fut difficile de creuser dans le Puits d'argent. Tous les trois mètres, un plancher de bois, d'argile ou de pierres bouchait le trou. À marée haute, le puits se remplissait d'eau de mer. Des pierres placées en forme de croix furent retrouvées non loin du puits. Certains pensent que le puits pourrait renfermer le Graal, la coupe dont Jésus se serait servi lors du dernier repas.

De nombreuses personnes ont essayé de creuser pour trouver le trésor du puits.

Les barrières du puits, ancrées profondément sous la terre, rendent l'exploration difficile.

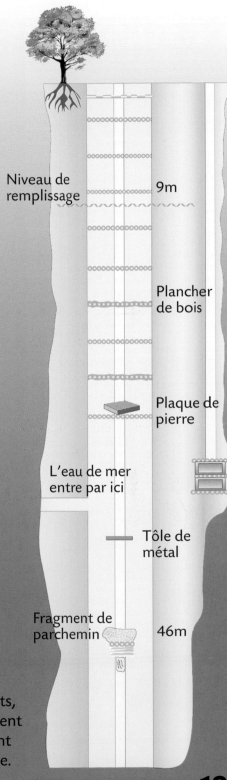

Niveau de remplissage — 9m

Plancher de bois

Plaque de pierre

L'eau de mer entre par ici

Tôle de métal

Fragment de parchemin — 46m

Secrets bien gardés

Certains endroits recèlent des secrets encore non élucidés. Dans certaines parties du monde, des groupes de personnes ont disparu mystérieusement et personne ne sait ce qu'il leur est arrivé.

Disparition collective

En 1587, l'explorateur anglais Walter Raleigh aidait à établir la première **colonie** britannique en Amérique du Nord, sur l'**île Roanoke**, en Caroline du Nord. Il laissa 100 personnes sur l'île lorsqu'il repartit en bateau pour l'Angleterre. Trois ans plus tard, il revint, mais les habitants avaient tous disparu et ne furent jamais retrouvés. Des années après, certains groupes d'autochtones de la région avaient la peau claire et les yeux bleus. Sont-ils des descendants des colons perdus?

Fort Raleigh marque l'emplacement de la première colonie britannique. Mais qu'arriva-t-il aux colons?

La tombe de l'empereur

Qin Shi Huang, le premier empereur de Chine, fit construire un énorme **mausolée** pour conserver son corps. À l'intérieur se trouvait une copie de son empire en miniature, avec petits palais et rivières. On dit que la tombe est truffée de pièges tuant tous ceux qui essaient d'entrer. De nombreux ouvriers moururent lors de la construction ou furent tués après pour garder le secret de la tombe. Nul ne sait comment Qin Shi Huang mourut, et la tombe n'a jamais été explorée.

Une armée de soldats en terre cuite grandeur nature garde le corps de Qin Shi Huang.

Glossaire

constellation
Groupe d'étoiles qui forment
un dessin particulier.

se décomposer
Quand quelque chose pourrit ou
tombe en poussière, il se décompose.

élucider
Rendre clair ce qu'on ne comprenait pas.

forage
Ensemble des techniques permettant
de creuser un puits parfois jusqu'à des grandes
profondeurs.

fouilles
Quand on explore le sol en creusant, on fait des fouilles.

incinérer
Brûler le corps d'une personne morte.

lignes Ley
Lignes imaginaires reliant plusieurs sites anciens.

marée
Mouvement quotidien de la mer montant et descendant.

mausolée
Monument pour les morts imposant et somptueux.

médium
Personne réputée pouvoir lire les pensées, parler
aux personnes mortes ou prédire l'avenir.

période glaciaire
Période durant laquelle la plus grande partie de la Terre
était couverte de glaciers.

Révolution française
Au 18ᵉ siècle, en France, révolte au cours de laquelle
le peuple se souleva contre le roi.

rituels
Ensemble de gestes, de symboles et de règles fixés par
la tradition ou la religion.

sacrifice
Donner quelque chose ou tuer quelqu'un en offrande à un dieu.

sarcophage
Cercueil de pierre.

site sacré
Lieu spécial où quelqu'un ou quelque chose est vénéré.

tertre funéraire
Monticule de terre sous lequel se trouvent des tombes anciennes.

Index